D1190837

Dorota Combrzyńska-Nogala

Bezsenność Jutki

ilustracje Joanna Rusinek

Dorota Combrzyńska-Nogala
Bezsenność Jutki

Okładka i ilustracje:
Joanna Rusinek

Redakcja i korekta:
Lidia Kowalczyk, Joanna Pijewska

Wydanie I

ISBN 978-83-7672-151-4

Wydawnictwo **Literatura**, Łódź 2012
91-334 Łódź, ul. Srebrna 41
handlowy@wyd-literatura.com.pl
tel. (42) 630 23 81
faks (42) 632 30 24
www.wyd-literatura.com.pl

Mała Jutka nigdy nie miała daru szybkiego zasypiania. Nawet przedtem. Raczej wprost przeciwnie. Zasypiała zawsze niemiłosiernie długo. I światło musiało się palić.

Od kiedy przeprowadzili się z dziadkiem i ciocią Esterką, siostrą taty, do tego zamkniętego, dziwnego miejsca, było jeszcze gorzej.

Mama i tata gdzieś zniknęli. Nie wiadomo gdzie. Jutka nie miała pojęcia, dokąd tym razem pojechali. Wcześniej też dużo podróżowali, ale jeszcze nigdy nie wyjechali na tak długo. To miejsce, do którego się udali, musiało być gdzieś bardzo daleko. Dziadek kiwał głową i mówił, że rzeczywiście pojechali bardzo, bardzo daleko i jeszcze nie wiadomo, kiedy wrócą... ani czy w ogóle wrócą. Jest przecież wojna. Ciotka Esterka wychodziła wtedy z pokoju z grymasem bólu na twarzy. I denerwowała się, jakby to ją najbardziej drażniła nieobecność rodziców Jutki.

A przecież to właśnie ona, Jutka, powinna najwięcej się złościć! To jej nie zabrali ze sobą, ją zostawili, co prawda z ukochaną ciotką i dziadkiem Dawidem, ale zawsze... To nie było w porządku.

No i to miejsce! Okropne! Niemcy resztę świata odgrodzili drutem kolczastym! Zamknęli wszystkich Żydów. Nie, inaczej, świat został podzielony na dwie części, ich część nazywa się Litzmannstadt Ghetto i nie można z niego wyjść. Najwyżej wyjechać niemieckim pociągiem, ale nikt nie chce, bo potem się znika. Na zawsze. Tak mówią dzieci na podwórku.

– To miasto nazywa się Łódź.

– A co to jest w takim razie Litzmannstadt?

– Niemcy wymyślili tę nazwę. Mieli takiego generała, który tu walczył w 1914 roku. Karla von Litzmanna. I tak go postanowili uhonorować, zmienili miastu nazwę z Łodzi na Litzmannstad – miasto Litzmanna.

Dlatego teraz Jutka zasypia dopiero nad ranem. Dobrze, że dziadek również cierpi na bezsenność – mogą sobie porozmawiać o tym, co się wydarzyło i dlaczego wszystko tak się zmieniło. I po co siedzą w tym dziwnym miejscu, co nazywa się Łódź, choć wcale nie powinno się tak nazywać. Gdyby tu płynęła rzeka, jak u nich w domu, w Warszawie, to jeszcze można by to było zrozumieć. Ale tu nie ma rzeki, tylko jakieś strugi i to jest niepojęte. A tak bardzo się cieszyła, że przyjedzie do dziadka Dawida Cwancygiera, co leczy zęby w Łodzi. Przyjechali, żeby być razem. Przyjechali i coś się stało ze światem... Coś się zepsuło...

W nocy, kiedy omówią już kilka razy w tę i we w tę, co też się działo w getcie, a uparty sen dalej nie przychodzi, dziadek opowiada bajki. Zupełnie inne od tych, które słyszała od mamy. Odrobinę straszne są te jego bajki, ale dzięki nim prawdziwy świat wydaje się mniej straszny. Z kolei Estera opowiada normalne, takie jak mama. Tylko ciotka ma jedną poważną wadę. Zasypia błyskawicznie. Ledwo zacznie opowiadać, już jej się oczy zamykają, już traci wątek, po czym z wysiłkiem podejmuje nowy z zupełnie innej bajki. Dziś też tak było. Obok nich siedział dziadek, zajęty naprawianiem rozsypujących się ze starości zimowych butów Jutki, kupionych na straganie za ciężko zarobione pieniądze. A kiedy skończył, postanowił zrobić wnuczce na drutach ciepłe rękawiczki ze sprutego sweterka. Jedne już zrobił dla Estery, z pięcioma palcami, bez czubków. Do pracy w resorcie gumowych płaszczy przy samym Rynku Bałuckim.

Od wygasającego piecyka bił nikły blask i ciepło.

– Królewicz pocałował Królewnę Śnieżkę i zatruty kawałek bułki z kiełbasą wyleciał jej z ust. Obudziła się z ciężkiego snu…

Jutka przez jakiś czas słuchała zaspanej, jak sama Śnieżka, ciotki, zainteresowana tą zupełnie nową wersją bajki, ale po chwili zirytowała się.

– Estero, Królewna Śnieżka połknęła zatrute jabłko, a nie bułkę z kiełbasą – powiedziała pouczającym tonem.

– Sama widzisz, Jutko, głodnemu chleb na myśli – zaśmiał się serdecznie dziadek, migając wesoło drutami.

– Taaak, taaak, rzeczywiście – ocknęła się ciotka. – Jabłko! Wypadło jej z ust jabłko. Kosztela. Taka w kropeczki, jakby obsypana wanilią. Słodka, taka słodka – mruknęła rozmarzona. – I wtedy...

– W bajce nie ma nazwy jabłka – zirytowana Jutka aż usiadła na łóżku. – Opowiadaj tak, jak było. W bajce musi być zawsze tak samo.

Cień jedynej stojącej na stole świeczki, oświetlającej niewielki pokoik, chwiał się teraz od kolejnego wybuchu śmiechu dziadka Dawida.

– Nie bądź przemądrzała! Że też ci się nie znudzi! Tysiąc razy to samo. W kółko i na okrągło.

– W bajce musi być porządek! – upierała się Jutka.

– Ale to takie nudne!

– Wcale nie! W dodatku nie opowiadałaś mi o Królewnie Śnieżce, tylko o Smoku Wawelskim – wypomniała ciotce.

– Niemożliwe! – oburzyła się Estera.

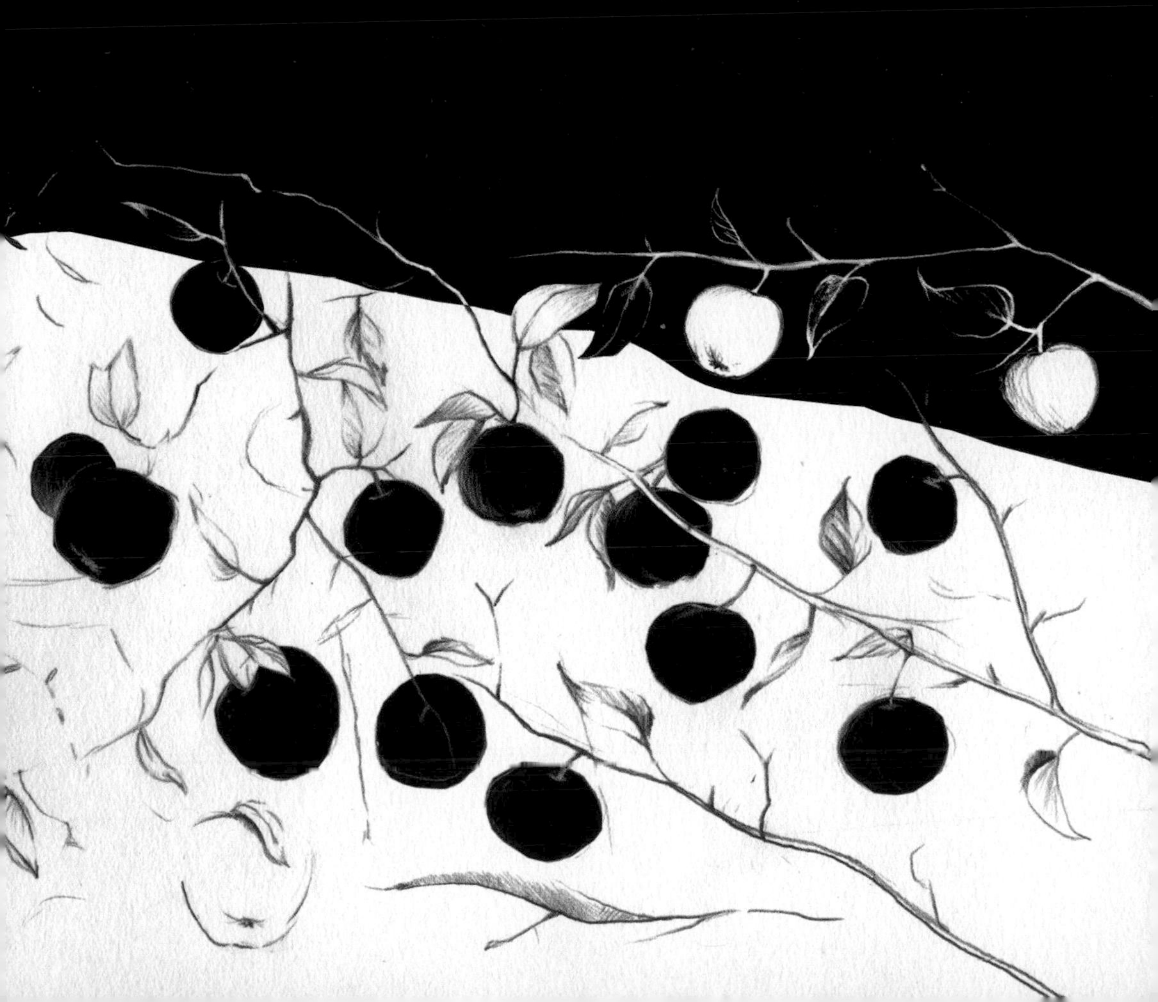

– Ma rację. Opowiadałaś o Wawelskim – mruknął dziadek.

– To chyba z głodu. Zjadłabym coś – poskarżyła się ciotka.

– Rano, córciu, będzie śniadanie – pocieszył ją ojciec, czyli dziadek Jutki.

– Ciągle jesteś głodna albo śpiąca – wypomniała jej dziewczynka.

– Jestem śpiąca w nocy. To normalne.

– Nie, wcale nie – upierała się Jutka.

– Owszem, normalne. To ty i ojciec, znaczy dziadek, nie jesteście… zwyczajni. Normalni ludzie w nocy są śpiący jak ja – prawie warknęła i odwróciła się plecami do dziewczynki. – I nie odkrywaj mnie. Już prawie wygasło w piecu. Zimno tu.

– No dobrze, ale skończ bajkę… – Jutka podniosła palec do góry. – Tę o Smoku Wawelskim!

– Przecież prawie skończyłam.

– Jeszcze nie.

– Za uratowanie królewny i uwolnienie całego miasta od złego smoka król dał Szewczykowi Dratewce… – Estera nieubłaganie odpływała w zasłużony sen. – Dał Dratewce…

– No co mu dał? – spytała natarczywie Jutka.

– Król dał Dratewce…

– No?

– Dał mu…

– CO-MU-DAŁ? – skandowała zirytowana dziewczynka.

– Dał mu... papierosy... – ostatkiem sił wyszeptała ciotka.

– No coś ty! – Jutka nie kryła oburzenia. – Nie papierosy, tylko królewnę za żonę!

– Papierosy i królewnę za żonę – sapnęła Estcra i zasnęła już nieodwołalnie.

– Dziadku! Królewnę za żonę i pół królestwa. – Jutka już miała budzić ciotkę, żeby jej o tym przypomnieć.

– Nie budź! – ulitował się nad śpiącą dziadek. – Estera idzie rano do pracy. Musi się wyspać.

– Ale przecież król nie dał szewczykowi papierosów... To nie tak było.

– Cioci się pomyliło.

– Może... Chociaż mógłby te papierosy wymienić na mąkę albo od razu na słodką bułkę, albo bułkę z kiełbasą... – rzeczowo zastanawiała się Jutka.

Dziadek drgnął przy stole jak rażony prądem.

– A wiesz, jak miał na imię Smok Wawelski? – spytał, żeby odwrócić uwagę wnuczki od kwestii wymiany papierosów na jedzenie.

– Chaim?

– Nie. Arie. Na pierwsze miał Arie, a na drugie Kazimierz.

– Smok Arie Kazimierz Wawelski? – upewniła się Jutka.

– Tak.

– W bajce tego nie ma…

– Nie ma, bo to tajemnica, którą tylko ja znam. Ja i ty.

– Tajemnica?

– Tak.

– Czyli nie mogę o tym nikomu powiedzieć? Joskowi też?

– Nie możesz.

– Szkoda. Janie też nie?

– Nie.

– To bardzo przykra tajemnica, jeśli nie można jej nikomu powiedzieć.

– Na tym właśnie polegają tajemnice.

– Ale jak nikt nic nie wie, to jakby jej nie było. Nie ma z niej żadnej przyjemności.

– Tajemnice nie są dla przyjemności.

– Czyli to tajemnica, że Smok Arie Wawelski był Żydem?

– Niezupełnie. Jego matka była smoczycą spod Kielc, a tata Żydem z Pragi, stąd te dwa imiona: żydowskie – Arie, żeby był silny jak lew, i polskie – Kazimierz, żeby był dobry i mądry jak król Kazimierz Wielki.

– To dlaczego był taki zły?

– Przede wszystkim był nieustannie głodny. To właściwie był chory smok.

– Ale dlaczego? – Głos Jutki stawał się coraz bardziej senny.

– Nie wiedział, kim jest.

– Ten smok jest podobny do mnie, bo mój tata jest Żydem z Polski, a mama Żydówką z Wiednia.

– No właśnie.

– Właśnie... – wymruczała dziewczynka i wreszcie zasnęła.

Śniła jej się bajka o silnej jak lwica syrencc Marysi, która żyła w wielkiej rzece, płynącej przez Stare Miasto, przez Marysin, przez całe Bałuty. A mosty nad aryjskimi ulicami Zgierską i Limanowskiego były prawdziwymi mostami i spinały dwa brzegi rzeki, a nie dwa chodniki. Syrenka też nie miała taty ani mamy, bo gdzieś zniknęli 6 marca 1940 roku. Spotkały się na piaskowej łasze w upalne lato i syrenka Marysia nauczyła Jutkę nurkować i łowić ryby, i razem popłynęły szukać swoich rodziców. I wcale nie było drutów kolczastych, zasieków i wydzielonego miasta-więzienia, policji żydowskiej i niemieckich strażników. Tylko chłodna rzeka, gorący wiatr i słońce.

Pewnego mroźnego dnia na parapet ich okna przyleciał gawron. Jutka od razu zauważyła, że nie był to zwyczajny ptak. Siedział spokojnie, ale kiedy zobaczył ruch za zamarzniętą szybą, zaczął walić w nią dziobem.

– Dziadku! – zawołała Jutka. – Czarny ptak do nas przyleciał. Chyba chce wejść.

– To gawron – powiedział dziadek i otworzył okno.

Lodowate powietrze wtargnęło do zimnego pokoju, a ptak, nie ociągając się, wkroczył do środka, zupełnie tak, jakby tu mieszkał od zawsze.

– Pewnie jest oswojony – mruknął dziadek. – O tej porze nie ma u nas gawronów. Przylatują dopiero w marcu.

– Skąd się wziął? – wyszeptała Jutka, żeby nie spłoszyć gościa.

– Nie mam pojęcia. Może przyjechał razem z deportowanymi Żydami z Wiednia albo z Pragi? Szczerze mówiąc, nie wiem, czy to w ogóle możliwe.

– A może to gawron stąd?
– Gawron z Bałut?
– Tak.
– Gawron z Bałut – cwana gapa!

– Gapa? – zdziwiła się Jutka. – Nie wygląda na gapę!

Gawron usiłował otworzyć zamknięte na klucz przeszklone drzwiczki kredensu, za którymi stał słoik z przydzielanym na kartki grochem – dziesięć deka na tydzień.

– Gawrony są bystre. Tak się tylko na nie mówi – gapy.

– Miły jest. Może zostać?

– Jeśli zechce.

Jutka bardzo się ucieszyła. Cały dzień poznawała gawrona i jego zwyczaje. Nakarmili go grochem i okruszkami. Dziadek zastanawiał się, gdzie mu powiesić kawałek chleba. Postanowili też nadać mu imię. Po długich dyskusjach Jutka zdecydowała się nazwać go Wawelski.

– A imię? – spytał dziadek.

– No ma już. Wawelski.

– To raczej nazwisko, ale jak tak chcesz, to niechaj i tak będzie.

– A co? Powinien być na przykład Bruno Wawelski? Jan Wawelski? Jakoś do niego nie pasuje – oświadczyła Jutka, przyglądając się uważnie gawronowi.

Wieczorem po pracy przyszła Estera i zobaczywszy ptaka, oświadczyła, że nie zamierza karmić tego darmozjada. Wywiązała się dłuższa dyskusja między nią i Dawidem Cwancygierem, której Jutka specjalnie się nie przysłuchiwała, pochłonięta bez reszty zabawą z gawronem. Chowała ptakowi jedzenie, a on zawsze potrafił się do niego dostać. Wcisnęła nawet kawałek starego chleba do butelki, a Wawelski wyciągnął go zrobionym przez siebie haczykiem z drutu.

– Może on uciekł z cyrku? – spytała nagle olśniona dziewczynka.

– Niekoniecznie. One są naprawdę inteligentne i same potrafią robić narzędzia.

– A gdzie będzie spał? – zaciekawiła się.

– Na dworze – uparła się Estera.

– Na dworze jest zimno – powiedziała Jutka.

– A tu, w domu, jest może ciepło? – parsknęła ciotka.

– Przynajmniej wiatr nie wieje.

W końcu dziadkowi udało się przekonać ciotkę, że Wawelski może zostać na noc.

– Rano trzeba go wypuścić, żeby sobie polatał – powiedział do wnuczki.

– A jak nie wróci? – martwiła się.

– To będzie więcej jedzenia dla nas. – Estera była bardzo praktyczna.

– Jak nie wróci, to znaczy, że znalazł swoją rodzinę – tłumaczył dziadek. – Albo przyłączył się do stada wron, one lubią sobie razem polatać. To stadny ptak.

– I nie wróci do mnie? – Jutka miała łzy w oczach.

– Zobaczymy. Może wróci.

– A jeśli nie? – chlipnęła rozdzierająco. – Jeśli jego rodzinę zabili Niemcy, tak jak Kalickich? Albo ich wysiedlili? I on ich teraz nie znajdzie?

– Nie martw się. I tak ma lepiej od nas.

– Dlaczego?

– Bo ma skrzydła i jest wolnym ptakiem. Może sobie odlecieć, dokąd tylko zechce. Nie chciałabyś go więzić w tym pokoju, prawda?

Jutka spuściła głowę i zerknęła na pięknego ptaka. Widać było po niej, że chętnie wsadziłaby gawrona do klatki, gdyby ją oczywiście miała. Ale dziadek tak na nią spojrzał, że tylko pociągnęła nosem i z bólem serca zaprzeczyła.

– Doskonała, mądra odpowiedź – pochwalił ją dziadek. – Zjedz kolację, a ja opowiem ci bardzo długą baśń, a właściwie mit, na końcu którego jest o skrzydłach.

– O skrzydłach? – zaciekawiła się.

– Tak, o skrzydłach. Pewnego razu... – zaczął, ale wnuczka, wyjątkowo zmęczona długą zabawą z gawronem, usnęła.

Rano spadł świeży śnieg. Gawron Wawelski walił dziobem w szybę, domagając się natarczywie, żeby go wypuścić. Jutka otworzyła okno.

– Tylko wróć do mnie, Wawelski! – zaklinała go. – Tylko do mnie wróć!

Dziadek nadział na gałąź wątłej jarzębinki pod oknem kawał chleba posmarowany margaryną. Pojawienie się gawrona przypomniało mu o zapomnianym zwyczaju dokarmiania ptaków zimą. A potem pozwolił Jutce pójść na podwórko pobawić się z Joskiem.

Najpierw postanowili pobiec na Franciszkańską 29 po Janę.

– *Guten morgen. Du kommst uns!* * – zawołała do przyjaciółki, która machała do niej zza zamarzniętej w piękne, lodowe wzory szyby.

– *Ich bin krank!* ** – wrzasnęła Jana przez zamknięte okno.

Przeziębiła się w słabo ogrzewanym mieszkaniu i babcia nie chciała jej wypuścić z domu, więc Jutka była bardzo niepocieszona. Poznały się w październiku ubiegłego, 1941, roku. Jana przyjechała z całą rodziną z Pragi i nie znała języka polskiego. Mówiła po czesku, ale na szczęście znała również niemiecki, tak jak Jutka, więc szybko nawiązały ze sobą kontakt.

Joska poznała jeszcze wcześniej. Zaraz na samym początku, kiedy zamieszkali w tej samej kamienicy. Chłopiec pochodził z Bałut – dzielnicy Łodzi. Mimo że się lubili, często dochodziło między nimi do kłótni. Zupełnie jak teraz.

– Jak ty masz właściwie na imię? – spytał chłopiec, lepiąc na podwórku bałwana.

– Jutka.

– Przecież wiem, ale od czego to zdrobnienie? – spytał zaciekawiony. – Od Judyty?

---

* Dzień dobry. Chodź do nas!

** Jestem chora!

– Nie. Jutka, jak byłam jeszcze majutka, ciocia Estera tak mnie nazwała.

– Malutka. Tak się mówi po polsku, mądralo. To jak masz właściwie na imię?

– Jutka.

– Pytam o prawdziwe imię.

– Jutka Cwancygier, córka Jakuba Cwancygiera i Ruth Cwancygier z domu Berg i wnuczka…

– Denerwujesz mnie… – powiedział, sapiąc z wysiłku. Usiłował postawić wielką śniegową kulę na drugiej, jeszcze większej śniegowej kuli, aż mu Jutka musiała pomóc.

Na tle prawie błękitnego śniegu dłonie chłopca były intensywnie czerwone od mrozu, ale on wydawał się tym zupełnie nie przejmować.

– Ja się pytam, jak ty masz na imię, a nie cała twoja rodzina – wyjaśnił, patrząc na nią znad częściowo ulepionego bałwana.

– Ja jeszcze nie mam imienia – wyjaśniła mu pogodnie, wcale nie zwracając uwagi na jego irytację.

– Jak to nie masz? – zdziwił się i schował na chwilę ręce pod pachy, żeby je trochę ogrzać.

– Teraz mam na imię Jutka – wyjaśniała cierpliwie dziewczynka.

– A potem? A potem jak będziesz miała na imię? – parsknął śmiechem.

– Dziadek powiedział, że potem wybiorę sobie takie imię, jakie będzie dla mnie odpowiednie.

– I będziesz je mogła sama wybrać?

– Tak.

– I co? Wybrałaś już? – maglował ją, zaintrygowany tematem.

– Jeszcze nie. Na razie jestem Jutka Cwancygier, wnuczka Dawida Cwancygiera i wnuczka Rebeki Kacelson, i wnuczka Haliny Puławskiej, i...

– Po co to powtarzasz? – zdenerwował się już całkiem serio, a Jutka nie wiedziała dlaczego.

Josek wyciągnął ogrzane dłonie spod pach i rozpoczął toczenie trzeciej, ostatniej kuli na głowę bałwana. Jutka szła za nim krok w krok i przez dłuższą chwilę nie odpowiadała. Musiał powtórzyć pytanie:

– Po co to wszystko powtarzasz?

– Żeby zapomnieć!

– Chyba żeby pamiętać – poprawił ją.

– Tak, żeby nie zapomnieć. No... coś takiego – wyjaśniła mu, jak mogła najlepiej.

– Ale po co to wszystko? – Josek nie mógł się nadziwić, a Jutka wzruszyła ramionami.

– Daj, teraz ja polepię, bo ci ręce zmarzły – schyliła się i dotknęła kuli swoimi otulonymi ciepłymi rękawiczkami dłońmi. Nagle wyprostowała się i ściągnęła je.

– Masz, zagrzej się.

– Nie chcę! – powiedział gwałtownie.

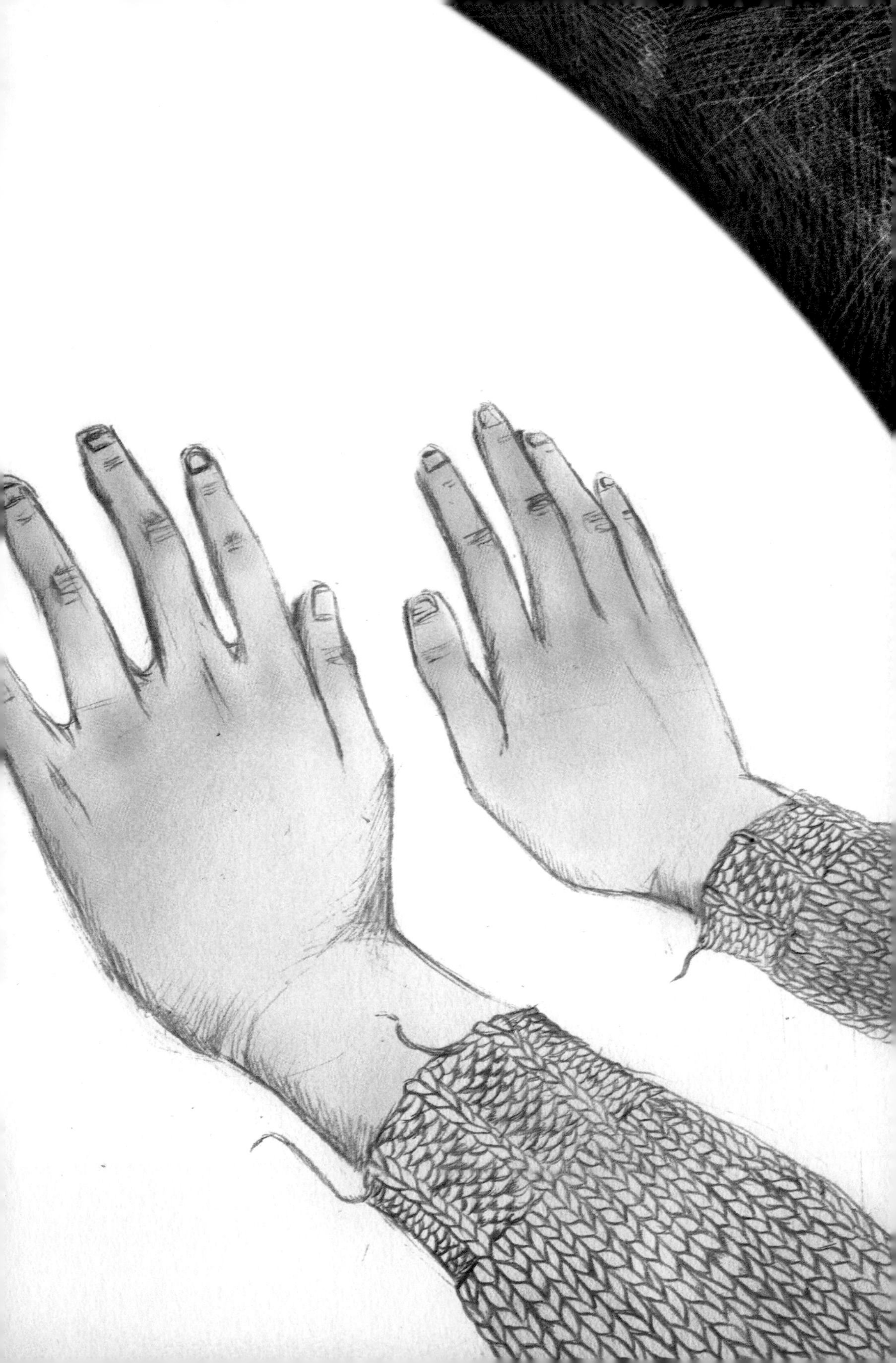

– Dlaczego? Dziadek mi je zrobił w nocy.

– Nie będę nosił dziewczyńskich rękawiczek – wyjaśnił zadziornie.

– Nie? A ja bym nosiła chłopczyńskie rękawiczki, jakby mi było zimno – zdziwiła się.

– Może ty byś nosiła, a ja nie chcę! – oświadczył hardo, unosząc brodę do góry.

– Dziwny jesteś!

– Może – mruknął.

Wrócili do starannego toczenia kuli na głowę bałwana. Obok nich, niziutko, przeleciał gawron i wylądował z głośnym krakaniem. Pióra lśniły w słońcu metalicznym, fioletowym pobłyskiem. Chłopiec wyprostował się gwałtownie i popatrzył na ptaka.

– Wcale nie jestem dziwny! – oznajmił, patrząc Jutce prosto w oczy. – Dziwny to jest ten twój dziadek…

– Dawid Cwancygier – podpowiedziała usłużnie.

– Niech będzie – Dawid Cwancygier.

– Dlaczego?

– Bo każe ci pamiętać, jak się nazywasz. Każdy wie, jak się nazywa, bez zapamiętywania!

– Powiem ci coś – zdecydowała się niespodziewanie. – Ja też tego do końca nie rozumiem.

– Właśnie! Czy ten twój dziadek… Cwancygier, to nie jest czasem miszigene? – spytał.

– Miszigene? – zdziwiła się po raz kolejny Jutka. – A co to znaczy „miszigene”?

– No wiesz... – powiedział i wykonał powszechnie zrozumiały gest palcem wskazującym, kręcąc kółka koło czoła.

– Sam jesteś miszigene! – wrzasnęła. – Mój dziadek...

– Dawid Cwancygier – przerwał jej chłopiec, uśmiechając się złośliwie.

– Mój dziadek jest najmądrzejszy na świecie!

– Nieprawda, bo mój dziadek jest mądrzejszy od twojego! Twój jest miszigene! Szalony!

– Nieprawda! Jest najmądrzejszy! A twój dziadek nie zna polskiego!

– Trochę zna. I czyta święte księgi! A twój nie zna jidysz! To nie jest w ogóle mądry! I ty nie znasz!

Jutka nie wytrzymała dłużej i z całej siły trzasnęła przyjaciela w nos zaciśniętą pięścią. Poleciała krew. Zaskoczony jej gwałtowną reakcją, Josek wciągnął powietrze w płuca i zacisnął mocno powieki, ale łzy i tak z nich popłynęły. Dziewczynka patrzyła na niego przez chwilę triumfująco, ale potem się stropiła.

Stali naprzeciwko siebie bez słowa. Chłopiec w końcu wypuścił powietrze zmagazynowane w płucach. Krew kapała na śnieg. Wrony skubały zapalczywie resztę chleba zawieszonego na drzewku, które jakimś cudem ocalało jeszcze przed wycinką na opał. Obserwowali je zgodnie przez dobrą minutę, nie bardzo wiedząc, co począć z tym wydarzeniem.

W końcu Jutka westchnęła ciężko, wyciągnęła z kieszeni niezbyt czystą chusteczkę i podsunęła Joskowi bez

słowa pod czerwony nos. Przez moment stał jak wryty, jakby się zastanawiał, co robić, a potem wziął i przyłożył.

– Twój dziadek… – zaczął z upartym uśmieszkiem – Dawid Cwancygier jest jednak miszigene.

– Nie jest! – wrzasnęła Jutka, ale stała spokojnie, przestraszona spustoszeniem, jakiego dokonała na twarzy przyjaciela.

– Jest! Ludzie głodują, a on dobry chleb wiesza tym okropnym czarnym ptaszyskom.

– Nie są okropne! A ten, co tu się kręci, to Wawelski! Mój gawron.

– Twój? Od kiedy masz gawrona?

– Od wczoraj. Przyleciał do mnie. Nie mówiłam ci, bo się bałam, że już nie wróci.

– A ja bym sam zjadł ten chleb z margaryną.

– To ty, Josek, byś zjadł. To twoja sprawa, co zrobisz ze swoim chlebem z margaryną, jak będziesz go miał. Dziadek ze swoim też zrobił, co chciał. Podzielił się.

– Ale dlaczego? Dlaczego? – spytał nierozumiejącym i dramatycznym głosem chłopiec. – Przecież mógł dać ten chleb i tę margarynę mojej rodzinie. Ja bym ją zjadł… część bym zjadł… – powiedział bohatersko, prawie ze łzami w oczach – a część oddałbym mojej chorej siostrze. To sto razy lepsze od babki z obierków ziemniaczanych. Dlaczego on zrobił coś tak szalonego? – Wzniósł ręce do nieba zupełnie tak samo jak jego uczony w świętych pismach dziadek.

– Nie wiem. – Jutka wzruszyła trochę bezradnie ramionami. – Powiedział Esterce, że zimą trzeba dokarmiać ptaki, a Estera powiedziała, że nie w wojnę, a dziadek powiedział, że właśnie w wojnę, a wtedy ona powiedziała, że nie będziemy marnować na ptaki jedzenia i tupnęła nogą. Ona jest bardzo uparta. A wtedy dziadek wypomniał jej, że jest uparta, a wtedy ona powiedziała, że... – zastanowiła się i dodała szczerze: – Prawdę mówiąc, to się o ten chleb okropnie pokłócili, ale on wygrał. Znaczy, dała mu pół chleba... A wiesz, jak to się nazywa?

– Jak?

– Kompromis. Dziadek tak powiedział.

– Jak się daje pół chleba, to jest kompromis? – upewnił się Josek.

– Tak.

– A jak się daje pół jabłka, to też jest kompromis?

Jutka zamrugała oczami stropiona. Potarła w zamyśleniu czoło dłonią w tęczowej rękawiczce.

– A jak pół jabłka, to nie wiem. Ale ten kompromis ma coś wspólnego z kłótnią, więc jakbyśmy się pokłócili o jabłko, a potem podzielili je na pół, to chyba tak, to byłby kompromis – powiedziała, ale zaraz dodała: – Ale nie jestem pewna.

– To się spytaj, bo mnie to ciekawi.

– W ogóle dziadek powiedział jeszcze, że wiesza ten chleb dla mnie.

– Jak to dla ciebie? Chce z ciebie zrobić akrobatkę? – zachichotał. – Masz się wspinać na ten badyl?

– Żebym wiedziała, że zimą się karmi ptaszki.

– Jakie ptaszki? Jakie ptaszki? – zdenerwował się po raz kolejny Josek i z takim impetem nasadził głowę bałwana na śniegowy brzuch, aż się odłupał porządny kawał śniegu. – To są ptaszyska! O! Następne przyleciały. Aż czarno się od nich zrobiło.

– Tak naprawdę – przyznała się Jutka – to chleb był dla sikorek i dla mojego Wawelskiego, żeby do mnie wrócił.

Wawelski od dłuższego czasu przechadzał się po dachu szopy. Pomachała do niego i zawołała, ale nawet na nią nie spojrzał i zrobiło jej się bardzo przykro. Potem poszli z Joskiem szukać kamyków na oczy dla bałwana. Przez chwilę żałowali, że nie mają marchewki, ale na szczęście znaleźli suchy patyk przy płocie i z niego zrobili nos. Kiedy tak stali i podziwiali swoje dzieło, pojawił się dziadek Jutki i spytał, czy nie zmarzła. Nie. Wcale nie. Choć strasznie chciało jej się jeść.

– Co? Głodna jesteś? – upewnił się dziadek.

I Joskowi tak wtedy kiszki zagrały z głodu marsza, aż usłyszeli.

– Macie tu po kawałku chleba i cebulę. – Dziadek wyciągnął z kieszeni scyzoryk, obrał cebulę i podzielił ją sprawiedliwie między dzieci.

– Skąd masz? – spytała, chrupiąc ze smakiem.

– Ja wiem – sapnął Josek. – Kogoś bogatego bolały zęby. Pan pomógł i on dał pieniądze albo chleb i cebulę. Prawda? – podlizywał się dziadkowi.

Jutce się to nie spodobało, bo przecież przed chwilą mówił, że dziadek wcale nie jest mądry.

– Prawda. Ulżyłem mu najprościej, jak umiałem.

– Czyli?

– Czyli wyrwałem mu ząb. Nie nadawał się już do leczenia.

Kiedy dziadek poszedł, Jutka wdrapała się na murek przy jarzębince i sięgnęła po resztę chleba. Ptaki gwałtownie zaprotestowały, a potem zniechęcone odleciały. Oprócz jednego, który przyniósł w dziobie mały kamyk i upuścił dokładnie pod stopy Jutki.

– Masz tu do tej cebuli. – Wcisnęła Joskowi do ręki naddziobaną pajdkę. – Przecież już wiem, że ptaki trzeba dokarmiać zimą, to chyba możesz ją zjeść? – spytała, ale jakby wcale nie pytała. – Zobacz, Wawelski przyniósł nam kamyk dla bałwana.

– Twój dziadek… Dawid Cwancygier… to jest jednak wielki człowiek – wysapał z pełnymi ustami wniebowzięty Josek. – Chociaż… miszigene.

Ponieważ Jutka ponownie się z nim nie zgodziła, zaczęli się obrzucać śnieżkami, ale już bez dawnej złości, a po chwili pękali ze śmiechu.

Estera i Jutka leżały w łóżku ciasno do siebie przytulone, bo w nocy zrobiło się tak strasznie zimno, że woda, co stała w wiadrze na korytarzu, zamarzła. Dziadek znowu siedział przy stole i pobrzękiwał pięcioma drutami, na których tym razem robił skarpetki w obrzydliwym brązowym kolorze. Estera śpiewała Jutce piosenkę, żeby ta szybciej usnęła, ale nie pomagało:

– Wszystkie rybki śpią w jeziorze,
ciulajla, ciulajla, la.
A ta jedna spać nie może,
ciulajla, ciulaja, la.

– A dlaczego ta jedna nie może spać? – dopytywała się Jutka.

– A ty, dlaczego nie możesz? – odpowiedziała pytaniem na pytanie ciotka.

– Nie wiem.

– No właśnie. Ta rybka też nie wie.

– Musi być jakiś powód, że ta jedna rybka nie może spać.

– Pewnie jest – zgodziła się sennym głosem Estera.

– Na pewno. Ja też kiedyś się dowiem, dlaczego nie mogę spać.

– To się dowiedz. Powiesz mi ra... – Ciotka nie dała rady dokończyć zdania i usnęła w pół słowa.

– Ciociu, a co było dalej z tymi rybkami? Ciociu Esterko?... Zasnęła. Dziadku! Ona znowu zasnęła! – Dziewczynka rozłożyła ręce nad kołdrą.

– Trudno. Przykryj się. Ja ci opowiem o greckim potworze. Dawno, dawno temu na pewnej greckiej wyspie mieszkał sobie król, którego żona urodziła syna – pół byka, pół człowieka…

– Czy to możliwe?

– To mit, czyli bardzo stara, wymyślona historia. Może nie jest zupełnie prawdziwa, ale uczucia, o których mówi, są prawdziwe.

– Czyli co?

– No uczucia… miłość lub jej brak, wstyd, zazdrość, zdrada… One są podobne w prawdziwych ludzkich historiach i w tych zupełnie fantastycznych… Poczekaj chwilę, daj opowiedzieć… – poprosił dziadek Dawid, pobrzękując energicznie drutami. – Król i królowa tak bardzo wstydzili się swojego syna, że zamknęli go w labiryncie, gdzie mieszkał zupełnie sam…

– Jak ten kołek?

– Jaki kołek?

– W płocie. Co mi niedawno opowiadałeś, że twój przyjaciel Leon został sam jak kołek w płocie.

– No właśnie. Tak samo. Nikt go nie przytulał, nikt go nie kochał…

– Zapomniałeś powiedzieć, jak miał na imię. Bohater bajki zawsze ma jakieś imię – Jutka pouczyła dziadka surowo.

– Rzeczywiście, zapomniałem. Królewskie dziecko miało na imię Minotaur. Jak już wspomniałem, nikt go nie kochał, nie uczył go, nie wychowywał. Dostawał tylko jedzenie.

– Jedzenie? – ożywiła się dziewczynka.

– Tak. W miarę jak dorastał, był coraz bardziej głodny i głodny. Wprost nie do wyobrażenia...

– Josek na pewno jest sobie w stanie coś takiego wyobrazić. Co tam! – Machnęła lekceważąco rączką. – On taki głód zna bez wyobrażania.

– I w ogóle nie można było tego głodu zaspokoić... – ciągnął dziadek.

– To zupełnie jak Josek. On też jest nieustannie głodny. I inni moi koledzy, i koleżanki. Oni też są ciągle głodni.

– To zupełnie coś innego, moja droga – oburzył się dziadek.

– Założę się, że Josek dałby się zamknąć w tym labiryncie, gdzie tak dobrze karmią, choć nie uczą. Dla niego to nawet lepiej, bo on nigdy za szkołą nie przepadał – ciągnęła Jutka, a dziadek kręcił się na swoim twardym krześle coraz niespokojniej. – Do szkoły chodził, zanim ją zamknęli, dlatego tylko, że dawali zupę i nie było tak strasznie zimno jak w domu.

– No niemożliwa jesteś. Słuchaj mnie i nie przerywaj. Potem będziesz zadawała pytania.

– A jak zapomnę?

– Trzymajcie mnie! – zawołał dziadek, rzucając swoją robótkę na stół.

Podszedł do wnuczki. Usiadł na brzegu łóżka i podjął przerwany wątek mitu o Minotaurze.

– W końcu głodny i zły Minotaur zażądał ludzkiego mięsa. I król musiał mu dawać młode dziewczęta i młodych chłopców na pożarcie. Nawet jak któreś zdołało uciec spod krwiożerczych łap i kłów Minotaura, ginęło w ciemnych korytarzach labiryntu, zbudowanego przez Dedala, błądząc jak duch i nie mogąc znaleźć wyjścia. Aż pewnego razu na wyspę przybył Tezeusz, który przechytrzył Minotaura. Od swojej ukochanej Ariadny dostał kłębek nici. Przywiązał koniec do głazu przy wejściu i poszedł szukać potwora. Kiedy go znalazł, a właściwie kiedy Minotaur znalazł jego, kierując się swoim niezawodnym węchem, Tezeusz wyciągnął wielki miecz i zabił go. A potem, zwijając nitkę z powrotem w kłębek, wrócił do wyjścia.

Dziadek zakończył. Jutka wpatrywała się w niego bez słowa. Minęło kilka minut, zanim spytała:

– Czy ten labirynt był taki jak więzienie?

– Skąd wiesz o więzieniu?

– Od Joska. Jego wujek tam siedział. Ciemno tak samo, jak w labiryncie. I biją. Jeść nie dają. I też trudno z niego wyjść.

– Tak. To z pewnością podobne miejsce. Masz jeszcze jakieś pytania? – spytał zmęczonym głosem dziadek.

– Teraz to już nie pamiętam – oznajmiła Jutka.

– To dobrze – westchnął ciężko dziadek.

– Czekaj, przypomniałam sobie jedno!

Poszła baba na rynek
kupić sobie bębenek.
Za ile?

– Co?
– No za ile? – dopytywała się Jutka.
– Nie wiem – odpowiedział dziadek zgodnie z prawdą.
– Za złoty bałuckiej roboty! – obwieściła triumfująco.
– Ha, ha... – zaśmiał się dziadek.

Josek zabrał Jutkę na poszukiwanie węgla i drewnianych ścinków na opał. Kopali z innymi dziećmi na rogu Dworskiej i Łagiewnickiej. Kiedyś znajdowało się tu składowisko i teraz można było jeszcze coś znaleźć, żeby ogrzać zamarznięte mieszkania. Odłożyli na bok swoje garnki na przydziałową zupę, które zawsze nosili przy sobie. Żartowali i wygłupiali się, kiedy nagle powietrze przeszył ostry dźwięk z broni maszynowej. Stanęli nieruchomo.
– Znowu ktoś na druty skoczył – skomentował ryży Czesiek.
– Ciekawe, kto tym razem? – zastanowił się Josek.
– Pewnie z Pragi albo z Wiednia. Oni się w ogóle nie mogą przyzwyczaić – powiedział Czesiek, patrząc na Janę.

– Bogatym w ogóle jest gorzej – powiedział Josek głosem starego, doświadczonego człowieka.

– No i języka naszego nie znają – przypomniała im Jutka.

– Ani polskiego, ani jidysz – dorzuciła czarna Chaja.

– Jana zna czeski i niemiecki. – Jutka czuła się w obowiązku bronić Jany.

– Niemiecki... Tfu! – splunęła na ziemię Chaja.

Jutka wytłumaczyła jej szybko różnice językowe między Pragą a Łodzią.

– U nas też wielu zna niemiecki. Moja mama znała, bo moi dziadkowie są z Wiednia, a dziadek Dawid jest stąd.

– Twój dziadek to Polak – rzucił ryży Czesiek.

– Polak – zgodziła się Jutka.

– To dlaczego tu jest? – spytała Chaja.

– Jest i Polakiem, i Żydem – wyjaśniła im Jutka. – Tak mi powiedział. I ja tak samo.

– Akurat, jak nie zna jidysz, to jest tylko Polakiem i już – uparł się Czesiek.

Już mieli się pokłócić, ale pojawił się policjant i czym prędzej rozpierzchli się jak stado wróbli, unosząc ze sobą garnki i worki z odrobiną węgla, patyków i śmieci do spalenia. Zza chmur wyszło zimowe słońce.

Jutka wróciła zziębnięta do domu, ale dumna z powodu kilku węgielków, które przyniosła. Dziadek podał jej wodnistą zupę z kawałkiem chleba, a potem kazał ćwiczyć pisanie liter w zeszycie w trzy linie. Wawelski siedział na oparciu krzesła i obserwował proces powstawania liter, a nawet sfrunął, myśląc, że wielkie „S" jest robakiem i rąbnął w nie dziobem.

– O, dziurę mi w zeszycie zrobił! – zaśmiała się Jutka. – Nie mogę dalej pisać, bo mam zepsuty zeszyt – powiedziała i narysowała długą na całą stronę dżdżownicę i gawron znowu postanowił na nią zapolować.

– Hi, hi. Znowu go oszukałam! – zaśmiewała się z rozczarowanego ptaka.

– Pisz!

– Nie chcę! – kaprysiła Jutka. – Dlaczego tylko ja mam się uczyć?

– Masz się uczyć, bo gdyby nie wojna, byłabyś w pierwszej klasie.

– Ale jest wojna!

– Nie szkodzi. Uczyć trzeba się zawsze. Kiedyś wojna się skończy – powiedział z niezachwianą pewnością dziadek.

– Naprawdę? – spytała, smarując koślawe litery ołówkiem.

– Oczywiście. I wtedy będzie ci wstyd, że nie umiesz czytać i pisać.

– Skąd wiesz, że będzie mi wstyd?

– Uwierz mi. Będzie. Mnie by było na twoim miejscu.

– No dobrze. A gdzie ciocia?

– Wydłużyli dzień pracy do dwunastu godzin dziennie.
– Świnie – parsknęła ze złością Jutka.
– Nie wolno tak mówić! – zgromił ją dziadek.
– Dlaczego? To okropne.
– Świnia to mądre, przydatne zwierzę. A ludziom nie wolno ubliżać.
– Ten policjant, co nas dzisiaj gonił, krzyczał, że ryjemy w ziemi jak świnie – wyjaśniła. – Josek mówi, że Żyd, a gorszy od Niemców. Pilnuje, żeby chorych wywozić nie wiadomo dokąd. Policjanci są gorsi od świń, oni są jak Minotaur… Nie, to nie pasuje. Świnie, mimo że mądre, jakoś bardziej obrażają.
– Nie wolno tak mówić. Niemcy obiecali policjantom, że ich dzieciom i bliskim nic się nie stanie pod warunkiem, że będą robić wszystko, co im każą. Ludzie czasem robią okropne rzeczy, żeby ocalić rodzinę.
– I naprawdę ich dzieciom nic się nie stanie?
– Nie wiem. Wiem tylko, że hitlerowcy kłamią i nie trzeba im wierzyć. Pamiętaj. To gdzie ty dzisiaj właściwie byłaś?

Kiedy dziadek dowiedział się, gdzie Jutka była z Joskiem i innymi dziećmi, zabronił jej tam chodzić.

– Ale dziadku! Czy ty wiesz, ile skarbów można znaleźć na takim starym śmietniku?

– E tam! Ludzie sobie zawsze takie legendy opowiadają.

– Chaja mówiła, że ktoś znalazł tam złotą papierośnicę i sprzedał Zawidzkiemu... temu przemytnikowi, co u niego wszystko można zamówić, i on przemycił dla niego mnóstwo jedzenia. Mnóstwo dobrego jedzenia. To może i ja bym coś znalazła? Gdybym mogła tam dalej chodzić. Co?

– Mowy nie ma. I tak robi się coraz gorzej.

Wróciła zmęczona Estera ze strasznymi wieściami o masowych deportacjach z getta. Jutka tkwiła nad swoim zeszytem i uparcie zapisywała całe strony literami, przysłuchując się rozmowie, której do końca nie rozumiała.

– Trzeba coś wymyślić – zdecydował dziadek. – Nie możemy czekać bezczynnie. I tak przez mój gabinet nie mamy tak źle jak inni. Zawsze coś dostanę. A to parę marek, a to coś do jedzenia, ale jest coraz gorzej. Ostatnio złapałem się na tym, że nawet opowieści, które opowiadam Jutce, są o jedzeniu – machnął ręką zirytowany.

W nocy Estera spała kamiennym snem, posapując przez lekko zatkany katarem nos, a dziadek robił na drutach kolejne rękawiczki. Tym razem na handel. Sprzeda je i kupi chleb albo jakieś warzywa, może cukier... Jutka nie mogła oderwać oczu od migających szybko drutów.

– Miałeś mi opowiedzieć o skrzydłach – przypomniała.

– Kiedy urodził się Minotaur, król wezwał do swojego pałacu na wyspie Krecie...

– Na krecie? – zachichotała wnuczka. – Nie wiedziałam, że oni byli mali. A może to kret był taki duży, że można było na nim wybudować pałac – śmiała się tak głośno, że spod kołdry wysunęła się potargana głowa ciotki.

– Tato! Ucisz ją. Przecież ja muszę spać! – poskarżyła się zaspanym głosem.

– Ciii! – Dawid Cwancygier położył palec na ustach, ale Jutka nie mogła się opanować i musiała schować głowę w poduszkę, żeby się wyśmiać.

– Kreta – podjął opowieść – jest grecką wyspą. I tam miał swój pałac król Minos. Mówiłem ci już, że wezwał Dedala, żeby wybudował labirynt dla Minotaura. Dedal przybył na wyspę razem z synem Ikarem.

– Nie miał mamy?

– Nic mi nie wiadomo o mamie.

– Może została w getcie, bo była Żydówką? – domyśliła się Jutka.

– Nie. To wiem na pewno. Nie było żadnego getta. Nie przerywaj. Kiedy Dedal skończył budowę, chciał wrócić do domu, ale król mu nie pozwolił.

JUDEN

– Dlaczego?

– Nie chciał, żeby Dedal opowiedział innym o jego synu potworze.

– Dedal i Ikar byli plotkarzami?

– Nie, ale król bał się, że są, i uwięził ich na wyspie.

– Tak jak Niemcy nas w getcie?

– Tak. I wtedy Dedal wpadł na wspaniały pomysł. Z piór i wosku zrobił dla siebie i syna wielkie skrzydła.

– No wreszcie. Nie mogłam się doczekać – westchnęła z ulgą Jutka.

– Nie podoba ci się moja opowieść? – zdziwił się dziadek.

– Podoba, ale ty opowiadasz i opowiadasz, a ja czekam i czekam na te skrzydła. Wreszcie są. Lubię porządek w opowiadaniu.

– Doczekałaś się. Dedal i Ikar przywiązali skrzydła do ramion. Ojciec ostrzegł syna, żeby nie leciał za wysoko, bo słońce roztopi wosk i spadnie. Za nisko nad morzem też nie może, bo pióra zrobią się wilgotne, ciężkie i spadnie do wody. Ikar tak się jednak zachwycił lotem, że zapomniał o przestrogach ojca i poleciał bardzo, bardzo wysoko, i... – Dziadek zrobił przerwę, by napić się wody z blaszanego kubka.

– I strażnik go zestrzelił – dopowiedziała Jutka.

– Nie! Nie! – zaprotestował bezsilnie dziadek, pocierając dłonią czoło. – I słońce roztopiło wosk, i spadł.

– Zbudujesz dla nas takie skrzydła? – ożywiła się wnuczka.

– To baśń. Musimy wymyślić coś innego, jakiś inny rodzaj skrzydeł, inną ucieczkę.

– Szkoda. Ja bym ciebie słuchała, i Estera, i Josek, i Jana, i Chaja, i nawet ryży Czesiek by ciebie słuchał, żeby tylko polecieć. Lecielibyśmy sobie razem z Wawelskim na wolność, może nawet do Zgierza.

Jutka usnęła, marząc o wspaniałym locie.

– Słuchaj, Jutko! – powiedział dziadek pewnego dnia. To było wtedy, kiedy poszedł gdzieś słuchać w tajemnicy radia. W getcie nie można było tego robić. Nie wolno było nawet mieć radia. Dawid myślał, że wnuczka nie słyszy jego rozmowy z córką Esterą o tym, że radio BBC podało wiadomości o obozach dla Żydów, z których się nie wraca.

– Pobawimy się dzisiaj w chowanego. Dobrze?

– Hura! – ucieszyła się dziewczynka. – A zawołamy Joska i Janę?

– Możemy.

– Pałka, zapałka, dwa kije. Kto się nie schowa, ten kryje – zaczął dziadek, a oni mieli dobrze się schować.

Potem Dawid Cwancygier szukał ich, udając okropnego Minotaura. Kiedy znalazł, wypominał, że tak licho się schowali, dlatego już po kilku dniach tych zabaw potrafili zniknąć, jakby zapadli się pod ziemię. Przenosili się w coraz to nowe miejsca i bawili się w chowanego. Dobrze chociaż, że Josek znał mnóstwo śmiesznych wyliczanek, więc nie było nudno.

– Entele pentele
szigi szaj
rapete papete
knot

– skandował chłopiec i wszystkie dzieci rozbiegały się, żeby się schować.

Jutka znała trochę inny wierszyk:

– Entliczek, pentliczek
malowany stoliczek,
na kogo wypadnie,
na tego bęc!
Raz, dwa, trzy,
odejdź ty!

– To wcale nie jest tak! – oburzyła się któregoś dnia Chaja i wyrecytowała im tę wyliczankę w jidysz:

– Hentełe bentełe
szykełe sza
rafete dy fafete
dy knot.

Podczas tych zabaw Josek, który prawie uwierzył w mądrość Dawida Cwancygiera, co zawsze potrafi zdobyć jedzenie, a to świadczy o prawie boskiej bystrości, z powrotem skłaniał się do pierwszego wrażenia, że dziadek Jutki jest jednak miszigene, szalony. I tak go lubił, bo zawsze miał w kieszeniach jakieś smakołyki. Czasami przyłączały się do nich inne dzieci. Najlepsza w zabawie w chowanego okazała się jednak Jutka. Potrafiła również skradać się bezszelestnie za plecami szukającego, żeby się zaklepać.

Po ciężkiej, mroźnej zimie w odciętym od świata getcie łódzkim, kiedy od mrozu zmarło wielu ludzi, przyszła wiosna. Na oknach pojawiły się skrzynki, ale wcale nie było w nich kwiatów, tylko buraki, zielony groszek, cebula i inne praktyczne warzywa. Babcia Jany zrobiła się strasznie gruba. Jutka bardzo się zdziwiła, skąd ona taka gruba, skoro wszyscy głodni, a Josek wyjaśnił jej, że ludzie puchną z głodu.

Ciotka Estera wyciągnęła z jakiegoś zapomnianego pudła na szafie skakankę. I teraz na podwórku Jutka skakała i recytowała wierszyk, a Jana i Chaja czekały, aż skusi. Ptaki śpiewały tak pięknie, jakby specjalnie chciały im uprzyjemnić zabawę.

– Trumf trumf
misia bela misia kasia,
komfacela.
Misia a misia be
misia kasia, komface.

Chaja zawsze się kłóciła, że ich wyliczanki brzmią nie tak, jak powinny i dlatego gorzej jej się skacze. I rzeczywiście, chociaż Jutka wcale nie mówiła „skuś baba na dziada, skuś baba na dziada", koleżance co chwilę sznurek zaplątywał się między nogami.

– A jak się wylicza? – pytała Jutka.

– Tak:

Ane dane try kanele
miste maste
kampa nele
kampa a
kampa bo
miste maste
kampa ta

– wyrecytowała Chaja, ale i tak szybko skusiła.

– Złej baletnicy przeszkadza rąbek u spódnicy – powiedziała Jutka i przetłumaczyła Janie.

Ale Jana wcale się nie śmiała, tylko pokiwała smutno głową i powiedziała, że Chaja nie ma siły skakać, bo mało je, i Jutce zrobiło się bardzo przykro, że dokuczała koleżance.

– Pograjmy w coś innego – zaproponowała. – Może w berka?

– Nie. Chodźmy oglądać tramwaje – zaproponowała Chaja. – Może będziemy mieć szczęście i ktoś coś rzuci do jedzenia.

– Jak to? – spytała Jutka.

– Tramwajarze, co jeżdżą przez getto, starają się wyrzucić jedzenie przez okno – wyjaśnił Josek, który zjawił się niespodziewanie na podwórku. – Ciebie dziadek pilnuje, bo jesteś smarkata, ale my tam chodzimy. Nawet jak nic nie wypadnie, to i tak miło jest się pogapić na tramwaje. Wyobrażam sobie, że jadę takim jak król przez całe miasto.

– Kiedyś to mi chleb prawie prosto w ręce spadł – rozmarzyła się na wspomnienie Chaja.

Tramwaje jeździły ulicą Zgierską. Polacy patrzyli przez okna na żydowskie dzieci. Jutka zobaczyła swojego gawrona, jak przeleciał nad ulicą i rzucił coś na jezdnię, a kiedy przejechała ciężarówka, sfrunął i złapał coś w dziób.

– Patrzcie! – krzyknęła. – Mój Wawelski! Znalazł gdzieś orzech i rzucił pod auto, żeby koła rozgniotły skorupkę.

– Nie wierzę, żeby był taki mądry – powiedziała Chaja.

– Jak to? Przecież sama widziałaś! – zdziwiła się Jutka.

– Trzeba bardzo uważać – pouczył Jutkę Josek – czy czasem niemiecki strażnik nie widzi. Po nim można się spodziewać wszystkiego najgorszego, łącznie ze strzelaniem.

Jakaś kobieta dała dzieciom znak i nagle przez otwarte okno wyleciał czarny pakunek. Upadł na jezdnię tuż obok nich. Josek błyskawicznie wyciągnął rękę, złapał paczkę i przeciągnął na chodnik. Ktoś zaczął krzyczeć po niemiecku i dzieci rzuciły się do ucieczki. Słyszeli za sobą kroki podkutych butów, ale nie oglądali się, tylko biegli i kluczyli, żeby czasem ich Niemiec nie trafił, jeśli przyjdzie mu do głowy strzelać. Znali każdy zaułek, każde przejście, wiedzieli, przez które podwórka można sobie skracać drogę, gdzie da się przecisnąć między ciasną zabudową. Umieli po prostu zniknąć, zapaść się pod ziemię w labiryncie bałuckich domów, szop i komórek. Josek i Chaja jeszcze dodatkowo wiedzieli, którzy ludzie na podwórkach są dobrzy, a którzy pomogą strażnikowi, a nie im... Jana i Jutka zaprawione w zabawach w chowanego podążały za nimi bez ociągania się. Powtarzały sobie w głowie wierszyk:

Ele, mele, hyc,
gdzie się mamy kryć,
czy pod słomę,
czy pod dach, wszędzie mamy strach!

W końcu udało się zmylić pogoń. Zdyszani usiedli na strychu kamienicy, w której mieszkała Jutka, i otworzyli czarny pakunek.

– Dlaczego jest czarny? – spytała Jutka.

– Aleś ty głupia! Żeby się w oczy nie rzucał. W białym papierze prędzej by zobaczyli – wyjaśnił jej Josek.

– Nie jestem głupia – zaprotestowała. – Sam jesteś głupi.

– A kto wziął paczkę z jezdni? – spytał, wyciągając triumfalnie bochenek chleba z pakunku.

– A kto cię nauczył znikać? – Wzięła się pod boki i sama sobie odpowiedziała: – Mój dziadek.

– Tak. Tak, Dawid Cwancygier – prychnął.

– Nie kłóćcie się – poprosiła przestępująca z niecierpliwością z nogi na nogę, zmęczona biegiem Chaja.

W pakunku był chleb, kilka cebul i kawałek kiełbasy. Dzieci aż jęknęły ze szczęścia. Chai na widok mięsa zaświeciły się oczy, choć martwiła się, czy aby ta kiełbasa jest koszerna. Od samego zapachu zakręciło jej się w głowie i musiała oprzeć się o ścianę. I mimo że Josek powiedział, że jego dziadek wolałby umrzeć z głodu, niż zjeść kiełbasę z wieprzowiny, najedli się solidnie i wtedy dopiero pomyśleli o bliskich. Zostały jeszcze dwie cebule i pół chleba. Podzielili się sprawiedliwie.

– Zaniosę mojej babci – powiedziała Jana.

– Weź moją porcję – zaproponowała Jutka. – Jak się dziadek dowie, gdzie byłam, to znowu nigdzie mi nie pozwoli iść.

Odbijali ospale piłkę o mur, aż wróble z krzaków spłoszyły się i uciekły. Dzieci patrzyły zazdrośnie, jak ptaki znikają za zasiekami, odgradzającymi getto od reszty miasta. Josek z Chają zaczęli rozmawiać o bezpiecznych oczach i włosach.

– Co to znaczy? – chciała wiedzieć Jutka.

– To znaczy, że gdybyś jakimś cudem wydostała się z getta na aryjską stronę, to jeśli masz niebieskie oczy i jasne włosy, i kogoś dobrego na zewnątrz, to może ci się udać. Niemcy cię nie złapią, bo nie wyglądasz na Żyda – wytłumaczył jej Josek.

– To ja nie mam bezpiecznego wyglądu – zmartwiła się Jutka. – Ty masz – ucieszyła się, patrząc na Janę.

– Może i mam. Ale nikogo tu nie znam. Nikt na zewnątrz mi nie pomoże, bo nie mamy już pieniędzy – zauważyła ze smutkiem Jana.

– Ja na kilometr wyglądam na Żyda i ty, Jutka, też. Twój dziadek to ma dobry wygląd i twoja ciotka Estera też. Ona w ogóle zresztą nie wygląda na ciotkę, tylko na twoją siostrę.

– To może im się uda, a potem nas zabiorą – powiedziała dziewczynka. – Dziadek zrobi dla nas skrzydła jak Dedal i polecimy do Szwajcarii jak pani Sara Singer.

– Twój dziadek zrobił jej skrzydła? – popukała się w czoło Jana. – Przecież ona dostała obywatelstwo szwajcarskie. Jakoś się wystarała i musieli ją stąd wypuścić. Wiem, bo ona też była z Pragi.

– Nam dziadek zrobi skrzydła i polecimy, dokąd będziemy chcieli – opowiadała im Jutka. – Zupełnie jak mój gawron.

– No – mruknęły chórem dzieci, ale jakoś tak bez przekonania.

W lipcu zagoniono do pracy nawet dzieci poniżej dziesiątego roku życia. Dawid Cwancygier postanowił, że za żadne skarby nie pośle Jutki nawet do wyplatania kapci. Wyprowadzili się z kamienicy do małego, drewnianego i pokrzywionego ze starości domku w zapuszczonym ogródku na Marysinie. Mieszkał tam przyjaciel dziadka – pan Leon, którego żonę i dzieci Niemcy wywieźli ze stacji Radegast gdzieś w okolice Koła i wszelki słuch o nich zaginął. Gawron Wawelski został przewieziony w skrzynce po butelkach.

W nowym miejscu Jutce bardzo brakowało Jany i Joska, którzy musieli iść do pracy, ale za to na razie uniknęli deportacji.

Domek stał blisko granicy getta. Jutka często obserwowała zabudowania po drugiej stronie ogrodzenia. Nie mogła się nadziwić, że żyją tam tacy sami ludzie jak ona, ciotka Estera, dziadek i wszyscy inni w getcie. Dlaczego oni siedzą tu zamknięci, skoro są tak podobni do tych po drugiej stronie kolczastych drutów? Ze stryszku widziała tych ludzi. Mówili takim samym językiem jak ona. Może to kwestia tych ciemnych włosów, ale tamci też je mieli: i brązowe, i czarne, albo rude jak ich ryży Czesiek.

Któregoś dnia wdrapała się na daszek werandy, żeby lepiej widzieć, a w oknie na pięterku po drugiej stronie drutów pokazała się pyzata dziewczynka z wielkimi białymi kokardami we włosach.

– Hej, ty! Jak mas na imię? Bo ja Basia – zawołała do Jutki, sepleniąc.

Nawet z tej odległości widać było, że wyleciały jej dwie górne jedynki.

– Jutka! Jestem Jutka Cwancygier! – wrzasnęła Jutka, pokazując jej swoje ubytki w uzębieniu.

Natychmiast poczuły do siebie sympatię, wręcz głębokie braterstwo szczerbatych.

– Mam kotka – powiedziała Basia, unosząc wysoko w dłoniach małego, burego kociaka, tak żeby Jutka go zobaczyła.

– A ja mam gawrona – pochwaliła się Jutka. – Ale gdzieś poleciał.

– Pokazes mi? – spytała Basia.

– Pokażę – obiecała.

Za plecami dziewczynki po aryjskiej stronie poruszyła się firanka i w oknie stanęła młoda kobieta. Popatrzyła z niepokojem na Jutkę, a potem położyła palec na ustach i wskazała w kierunku pobliskiej wartowni. Dzieci po obu stronach natychmiast umilkły spłoszone.

Od tej pory często się widywały i dawały sobie znaki. Kiedyś mama Basi przyniosła ze sobą procę i strzelała w ścianę ich domku kostkami bulionowymi. Były tak niewielkie, że strażnik nie był w stanie ich zobaczyć.

Estera gotowała z nich zupę. Kiedy przychodził Josek, też dostawał.

– Ale ta twoja Basia jest gruba – nie mógł się nadziwić. – Jeszcze nigdy nie widziałem takiego grubego dziecka.

– To może z głodu tak spuchła jak babcia Jany – zaniepokoiła się Jutka.

– Nic jej nie jest – uspokoił ją dziadek. – Ona wcale nie jest gruba. Twoja koleżanka jest po prostu normalna. To wy jesteście wychudzeni jak strachy na wróble.

– A jak tam u nich zielono! – zachwycił się Josek, patrząc z daszku werandy na rośliny wokół domu Basi. – Po naszej stronie nie ma już żadnych drzew. Wszystkie na opał wycięte – westchnął z żalem.

Poszli do ogrodu pobawić się. Ale mimo zakazów dziadka i ciotki, ciągnęło ich na ulicę. Wyszli, rozglądając się ostrożnie. Nagle usłyszeli jakiś dziwny dźwięk i zobaczyli, jak zza rogu wyłaniają się przedziwne, wielkie stworzenia z czymś czerwonym, pomarszczonym pod dziobami.

– Co to? – wykrztusiła Jutka.

– Ptaki. Na pewno ptaki – wyszeptał Josek, żeby ich nie spłoszyć. – Może to rodzaj kruków.

Z oddali słychać było gwar, a ptaki były wyraźnie zaniepokojone i gulgotały w panice. Nagle, jak spod ziemi, wyrósł dziadek i kazał im szybko zapędzić je do ogrodu.

– Szybko, szybko! – wołał. – Za dom, do tej szopy na narzędzia ogrodnicze, żeby nikt ich nie widział. I cicho! Ci ludzie, co ich słyszycie, to pewnie pogoń za tymi indykami.

– Za czym?

– To są indyki. Prawdziwe indyki! – Spokojny zazwyczaj Dawid Cwancygier był bardzo podekscytowany. – Hoduje się je tak samo jak pozostały drób, czyli kurczaki, kaczki, gęsi... Musiały się przedostać przez ogrodzenie z aryjskiej strony. Są bardzo, bardzo smaczne. – Oblizał się. – Jak zaczną gulgotać, zaśpiewajcie coś.

Na wiadomość, że to coś nadaje się do jedzenia, dzieci na wszelki wypadek zaczęły powtarzać swoje wyliczanki:

– Entliczki, pentliczki
czerwone guziczki,
na kogo wypadnie,
na tego brzdęk!
Entliczek, pentliczek,
zielony stoliczek,
na kogo wypadnie,
na tego bęc!
Samowar pękł,
szklanka się rozbiła,
pana Jana sparzyła,
raz, dwa, trzy, kryjesz ty,
jak nie ty, no to ty,
jak nie ty, to za ciebie
cztery duże psy.

– Dziadku, ja nigdy nie widziałam psa, tylko na obrazku w książce – poskarżyła się Jutka dziadkowi.

– Widziałaś! Jasne, że widziałaś, tylko nie pamiętasz – powiedział.

– Ja kiedyś widziałem psa. Dawno temu, jeszcze zanim nas tu zamknęli. Nawet kotów jest mało. Dużo jedzą, ale czasem w sklepach je trzymają, żeby myszy żarły.

Dziadek wyjrzał na ulicę.

– No, już poszli.

Jedzenia było tyle, że kiedy Estera przyszła z pracy, popłakała się ze szczęścia. Josek przychodził do nich codziennie na dokarmianie. Nie pamiętał, żeby cokolwiek w życiu tak mu smakowało, jak ten rosół i mięso z indyka z warzywami z ogródka pana Leona. To zupełnie coś innego niż dziesięć deka starej koniny raz na dziesięć dni, to coś wspaniałego, od czego chude jak wiór ciało Joska przechodził dreszcz rozkoszy.

Basia i Jutka rozmawiają ze sobą przy pomocy liter wymalowanych na kartkach. Wawelski obserwuje je z uwagą, ale dzisiaj bardziej interesuje go grzebanie w ziemi i szukanie pożywienia. Zazwyczaj jest towarzyski i lubi się bawić z Jutką. Dziewczynka chciałaby go przedstawić koleżance, ale on wcale nie chce się pokazać. Mały kotek Basi bawi się papierkiem uwiązanym na sznurku.

– Widzis?! – woła, ale nie za głośno, żeby nikt niepowołany nie usłyszał. – On bardzo lubi gonić papierek. A co lubi twój gawron?

– On lubi grzebać w ziemi albo wyciągać z butelki smakołyki. Wawelski nie bądź taki. Pokaż się Basi – prosi Jutka.

O dziwo gawron jakby usłyszał i przyfrunął do niej. Usiadł na wyciągniętej rączce dziewczynki.

– Jaki piękny! – zachwyciła się Basia. – Jaki błyszczący! Chciałabym go dotknąć!

– A ja chciałabym pogłaskać twojego kotka – powiedziała z żalem Jutka. – Szkoda, że jesteś tak daleko.

– Wcale nie jestem daleko, tylko ta granica – burknęła rozzłoszczona Basia.

– Jaki jest kot w dotyku?

– Jest bardzo mięciutki i milutki. Lubi, jak się go głasce za usami. Ale pazurki ma ostre jak spilecki. Tseba uwazać – sepleniła Basia.

Wtedy firanka za nią poruszyła się i w oknie pojawiła się jakaś starsza pani, a za nią mama Basi. Obie głośno się kłóciły.

– Dzień dobry, babciu! – Jutka usłyszała, jak Basia przywitała się z kobietą, ale ta była bardzo niezadowolona.

– Czy ty rozumu nie masz? – zwracała się przerażona do mamy Basi. – Pozwalasz na te zabawy? Chcesz, żeby was za to wysłali do obozu albo od razu zabili jak

Jadźwińskich? – prawie krzyczała i siłą wciągała do środka opierającą się wnuczkę.

Jutka przez dłuższy czas stała na daszku jak skamieniała, a wieczorem leżała bez zwykłych pytań do Estery i dziadka.

– Nie chcesz bajki? – spytał zdziwiony dziadek.

– Nie chcę.

– Chce ci się spać? – spytał ucieszony.

– Wcale mi się nie chce.

– Jak to?

– Nie chce mi się słuchać. Muszę sobie spokojnie pomyśleć.

I rzeczywiście, leżała na wznak zapatrzona w sufit.

Przez kilka dni Jutka wchodziła na daszek albo na strych, ale w oknie nie było Basi. Aż któregoś popołudnia, kiedy wałęsała się smutna po małym ogródku, ktoś załomotał do furtki. Pobiegła i zobaczyła Basię z koszykiem w objęciach.

– Co ty tu robisz? – spytała wstrząśnięta i jednocześnie niewyobrażalnie wprost szczęśliwa.

– Babcia już sobie pojechała, a ja prysłam pzez płot. Nikt mnie nie widział. Psyniosłam ci kotka. To jest Mrucek! – powiedziała, wyciągając z koszyka kota i kilka pięknych jabłek. – To dla ciebie!

– Dziękuję! Dziękuję! – powiedziała ze ściśniętym z wrażenia gardłem Jutka.

Basia podała jej Mruczka i dziewczynka delikatnie go objęła. Zastygła pod wpływem jego ciepła i dotyku

miękkiego futerka. Nigdy w życiu czegoś takiego nie doświadczyła. Wielka radość wypełniała ją od stóp aż po sam czubek głowy.

– Pogłasc go. O! Tak się głasce kota – poinstruowała ją Basia.

– Och! – westchnęła Jutka. – Jaki miły!

– A gdzie Wawelski?

– Chodź!

Poszły za domek odnaleźć gawrona. Bawiły się beztrosko z kotem i ptakiem. Wawelski był zaskoczony widokiem Mruczka. Początkowo próbował nawet go dziobnąć, ale szybko się przyzwyczaił, bo to był naprawdę bardzo bystry gawron. Dziewczynki chrupały słodkie jabłka. Jutka mogłaby je jeść bez końca, ale postanowiła odłożyć dla Joska, dziadka i Esterki. Z ogryzków Wawelski wydłubywał pestki. Basia nauczyła Jutę wierszyka:

– Za górami, za lasami
jechał pociąg z wariatami,
a w ostatnim wagoniku
siedział Hitler na nocniku,
zbierał smaty na armaty
i ogryzki na pociski.

– I ogryzki na pociski! – zaśmiewały się do łez.

– Szmaty na armaty! – śmiała się Jutka.

– Smaty na armaty! – powtarzała Basia, turlając się po trawie.

– Hitler na nocniku!

– Na nocniku!

Nagle usłyszały wołanie mamy Basi.

– Mama mnie woła. – Dziewczynka wpadła w popłoch. – Musę lecieć! – Złapała Mruczka, wpakowała go do koszyka i wybiegła za furtkę.

Już miała przecisnąć się pod drutami, kiedy strażnik zawołał:

– *Halt! Hände hoch!* *

Basia wypuściła z dłoni koszyk. Nad ich głowami miotał się Wawelski, kracząc ze zdenerwowania.

– *Halt!*

Basia nie reagowała, biegła w stronę domu już po drugiej stronie, a za nią sadził długimi skokami mały kotek. Niemiec zdejmował z ramienia karabin, kiedy coś małego przypadło do jego rąk, wołając cienkim głosem:

– *Nein! Nein! Das ist meine Freundin! Sie ist Polen!* ** – krzyczała Jutka.

Mężczyzna zawahał się.

– *Sie ist Polen! Polen!* *** – płakała.

Niemiec patrzył to na nią, to na porzucony koszyk i zamykające się za drugą dziewczynką gałęzie krzewów. Pokręcił z niezadowoleniem głową. Uniósł w górę palec i pochylił się nad szlochającym dzieckiem. Pogroził

---

* Stać! Ręce do góry!

** Nie! Nie! To jest moja koleżanka! Ona jest Polką!

*** Ona jest Polką! Polką!

nim. Schylił się, zdecydowanym ruchem chwycił koszyk, wziął zamach i przerzucił wysokim łukiem na drugą stronę drutów. Patrzyli oboje, jak kosz leci na tle jasnego, bezchmurnego nieba. Potem strażnik odszedł, ale odwrócił się jeszcze do Jutki i położył palec na ustach. Pokiwała głową.

Pewnego dnia najważniejszy człowiek w getcie, Chaim Mordechaj Rumkowski, którego wszyscy się bali, ale go słuchali, powiedział, że muszą oddać dzieci i starych ludzi. Jutka wiedziała, że ten potwór Minotaur chce ich pożreć. Owszem, była to wiedza przerażająca, ale i tak każda wiedza jest lepsza od niewiedzy. Niewiedza przeraża bardziej od najbardziej przerażającej wiedzy. Tego już się tu nauczyła. Esterka mówi, że ona, Jutka, jest dziwna, że nie zawsze wiedzieć jest lepiej. Dziadek mówi, że tak. Zawsze wtedy można wykonać jakiś ruch, jak w szachach.

Zatem wiedziała, że potwór – człowiek z głową byka – chce pożreć dzieci i ich babcie, i dziadków. Jednak ona sama się nie bała. Wiedziała, że ani dziadek, ani ciotka Estera jej, Jutki, nie oddadzą, zaś dziadek na szczęście nie był starcem jak inni dziadkowie. Za to strasznie się bała o małego Joska i Janę, z którymi świetnie grało się w klasy i robiło inne ciekawe rzeczy.

Zaczęła się szpera. Dziadek był przerażony, chociaż próbował to ukryć. Ciotka Esterka szeptała mu na ucho o okropnych rzeczach, które działy się w getcie.

– Dzieci zabierają, matki tak strasznie krzyczą, tak strasznie – płakała ciotka i nawet ona nie mogła w nocy spać.

Dziadek przygotował dla Jutki specjalny schowek pod podłogą. Rodzaj piwniczki w kuchni, ukryty pod stołem i przykryty specjalnym sznurkowym dywanikiem. Miała się w nim chować, gdyby przyszli po nią Niemcy albo policjanci.

Pewnego razu Josek przybiegł zdyszany do Jutki i patrzył, jakiś taki osowiały, jak gawron spaceruje po grządkach i szuka jedzenia w ziemi.

– Dziadek powiedział, że przyzwyczaił się już do tego miejsca – poinformowała przyjaciela.

– A co z nim będzie, jak nas wywiozą? – spytał smutno chłopiec. – Twój dziadek za furtkę cię nie wypuszcza, to nic nie wiesz, że babcia Jany zmarła, a ją samą z rodzicami, co zachorowali na płuca, wywieźli.

– Nie ma Jany? – chlipnęła Jutka.

– Nie ma.

– Nawet się nie pożegnałam.

– I dobrze – mruknął. – Wiesz, co się u nas w kamienicy działo? Jeszcze i ciebie by zabrali. Twój dziadek, Dawid Cwancygier, to jednak wielki człowiek… chociaż miszigene… Ja uciekłem. Gonił mnie taki jeden policjant. Chciał mnie wrzucić na wóz, ale uciekłem. Zniknąłem. W jednej chwili zniknąłem. Szli po nas. Dziadek w ostatniej chwili wypchnął mnie przez okno. Nie chciałem uciekać. Nie chciałem ich zostawiać, ale on krzyknął na mnie takim strasznym głosem – opowiadał Josek, połykając łzy. – No to usłuchałem. Jeszcze mi wcisnął w rękę swój zegarek. Sprawdzali każdy dom. Mieszkanie po mieszkaniu. I zabierali dzieci i starych ludzi. Raz wzięli takiego małego smarka, a jego matki wcale nie chcieli, bo była młoda i jeszcze zdrowa, mogła pracować, ale ona sama za nim poszła, bo płakał wniebogłosy. Przydały się te zabawy w chowanego. Dołączyłem do grupy ludzi, co jak fala szli z jednej ulicy na drugą, żeby uciec przed Niemcami i policjantami. Przeszliśmy piwnicami do sąsiedniego domu, tego, wiesz, z wielkimi balkonami, a potem na Bazarową i wydostałem się z zagrożonego rejonu. Mam kryjówkę, ale wszystkich moich zabrali. I mojego mądrego dziadka, i rodziców...

– Ale dokąd ich Niemcy wywieźli? Może w tym nowym miejscu będzie im lepiej?

– Tak początkowo wszyscy myśleli, a nawet sami się zgłaszali. Moja ciotka to mówiła, że gorzej niż tu, to chyba nigdzie nie może być. Ale teraz ludzie boją się wyjeżdżać. Takie rzeczy gadają, że... – machnął ręką i poszedł, zostawiając Jutkę przestraszoną i ciekawą.

Następnego dnia też przybiegł głodny i przestraszony.

– Chaję zabrali i ryżego Cześka. Widziałem z mojej kryjówki. I jeszcze...

Ale nie dokończył, bo gawron Wawelski niespodziewanie pojawił się na płocie i jakoś dziwnie poruszał skrzydłem. Zaniepokojone dzieci podeszły do niego. Jednocześnie przez furtkę wszedł blady dziadek. Ptak nieporadnym lotem wylądował u ich stóp. Dawid Cwancygier przyklęknął na jedno kolano i obejrzał go dokładnic.

– Ma uszkodzone skrzydło – powiedział głuchym głosem.

– Jak to? – spytały dzieci chórem.

– Ktoś go postrzelił.

Dziadek wziął ptaka delikatnie na ręce. Opatrzył mu skrzydło, ale powiedział, że nie wiadomo, czy będzie latał. Wawelski i tak miał szczęście, że żyje, dwa centymetry i byłoby po nim. Gawron przeleżał całą noc w pudełku spokojny i nieszczęśliwy. Jutka pochylała się nad nim z troską, a łzy kapały na jego czarne pióra.

– Nie dość, że ranny – powiedziała Estera – to jeszcze go utopisz.

– To prawda – zgodził się z nią dziadek. – Oczy masz czerwone jak u królika. Wawelskiemu może się udzielić twój grobowy nastrój, a to mu wcale nie pomoże w zdrowieniu.

– Ale on może już nigdy w życiu nie latać! A to jest gorsze od śmierci! – powiedziała dziewczynka.

– Nic nie jest gorsze od śmierci – powiedział surowo dziadek.

– Dziadku! On jeden z nas wszystkich mógł lecieć, dokąd chciał. Nawet – podniosła palec do góry – do Zgierza! A teraz jest taki sam jak my! Siedzi w getcie jak w więzieniu.

Przybiegł Josek spytać, jak się czuje Wawelski.

– Wiem, co się stało. Znowu znalazł gdzieś orzech i swoim zwyczajem rzucił na Zgierską, koło kościoła. Przejechał samochód, rozgniótł i gawron podleciał, żeby zabrać swój smakołyk, a strażnik, widać czymś zdenerwowany, przyłożył się i strzelił do niego.

– Skąd wiesz? – spytała Jutka.

– Od kolegi, co właśnie przechodził przez kładkę nad ulicą. A ten Niemiec, to coś mu się stało, bo do tej pory spokojny był z niego człowiek.

– To pewnie nerwy – powiedział dziadek.

Kolejnego dnia szpery selekcja doszła do uliczki, przy której mieszkała Jutka z ciotką i dziadkiem.

Dawid Cwancygier otworzył wieko kuchennej piwniczki i kazał Jutce się schować i siedzieć cicho do czasu, aż zapuka ciotka.

– Dlaczego Estera, a nie ty? – dopytywała się dziewczynka.

– Wszystko jedno. Na pewno ktoś otworzy. A ty do tego czasu masz być cicho, choćby nie wiem co.

– Co?

– Cokolwiek. Masz być cicho.

– Ale tu jest ciemno! Boję się! Dziadku, boję się!

– Wiem, że jest ciemno, ale przypomnij sobie Tezeusza, jak przetrwał w labiryncie. Tak samo w ciemnościach. W dodatku czyhał na niego Minotaur. A tu potwór jest na zewnątrz. Prawda?

– Tak, ale ja nie mam kłębka, żeby znaczyć drogę.

– Rzeczywiście, nie pomyślałem o tym. Ale zaraz temu zaradzimy. O, proszę! – Podał jej kłębek burej wełny. – Nie bój się. Potwór jest na zewnątrz. Pamiętaj o Tezeuszu!

– Pamiętam. On wyszedł. I miał przygody. Żeglował. Ja też chcę żeglować. I chcę nauczyć się pływać. I chcę mieć kotka… I wcale się nie boję… – łkała Jutka, tuląc się do dziadka.

– Masz tu kilka jabłek. I butelkę wody. I kocyk. Twój ulubiony – powiedział. – Nie bój się, wszystko to jeszcze będziesz robiła. Przeżyjesz!

Basia trzymała w ramionach swojego kota i patrzyła w stronę getta, gdzie panował nieustanny zgiełk od 6 września 1942 roku przez cały tydzień. Zapamiętała na całe życie tę datę i ten dzień. Datę swoich piątych urodzin. Była pyszna szarlotka. Przyszli dziadkowie z piękną książką z bajkami. Od rodziców dostała kredki. Przez chwilę była nawet szczęśliwa, kiedy siedziała przy stole nakrytym białym obrusem w białe kwiaty. Zawsze się zastanawiała, jak to jest – białe na białym, a kwiaty widać. Cała rodzina uśmiechała się do niej. Wszyscy mówili bardzo głośno. Głośniej niż zazwyczaj. Uśmiechali się do niej nieustannie i ona się do nich uśmiechała, aż jej zesztywniały policzki. Bała się, że już tak zostanie z tym radosnym i trochę głupawym grymasem do końca życia, a nie daj Boże dłużej…

Miała wyszczotkowane włosy, zaplecione w dwa obwarzanki nad uszami i sztywne, niebieskie kokardy, niebieski sweterek, i plisowaną granatową spódniczkę. Brzęczały filiżanki ze słabą herbatą i wszyscy byli bardzo mili, nawet jak wrzeszczeli do siebie przez stół. Miała ochotę zatkać uszy. Nawet babcia nie miała o nic pretensji do niej ani do mamy.

Ale kiedy wróciła na górę do swojego pokoju i spojrzała przez okno na drugą stronę drutów, zrobiło jej się smutno, że nie ma na jej urodzinach Jutki. Mało tego, że nie ma jej na urodzinach, to nie ma jej w ogóle. Gdzieś pojechała ze swoją ciotką. Dowiedziała się o tym, kiedy mama rozmawiała na werandzie z babcią. Nie wiedziały, że Basia bawi się z kotem pod stołem.

– Ciekawe, co z tą małą Żydówką? Pewnie ją wywieźli. Ty wiesz, co się tam dzieje? – szeptała ze zgrozą babcia. – Już po nich. Boże litościwy! – Żegnała się zamaszyście. – Już po nich! Podobno najgorzej trafić blisko Koła. Tam tylko śmierć. Tylko śmierć! Mówił jeden mechanik, co ciężarówki Niemcom naprawia...

Basia obserwowała stopy mamy. Migotały sprzączki jej sandałów, bo mama bezustannie ruszała nogami do przodu i do tyłu, i na boki, jakby chciała gdzieś uciec. Byle dalej od babci.

Szpary między deskami podłogi wydały się Basi takie czarne i przepastne. Dłubała w nosie z wielkim zaangażowaniem. Może w ten sposób zdoła opanować kichanie? Za wszelką cenę nie chciała, żeby babcia odkryła ją pod stołem. Zrobiło jej się gorąco, kiedy kot zainteresował się wędrującymi stopami mamy i zaczął na nie polować. Przywarł mocno do podłogi, sprężył się cały, aż mu sierść stanęła na grzbiecie i... skoczył. Złapała go w ostatniej chwili.

– Może udało im się jakoś... uciec... – wyszeptała mama.

– Nie wierzę – powiedziała stanowczo babcia. – Nie słyszałam, żeby z tego getta udało się komuś uciec. A nawet jak już jakimś cudem się uda, to zaraz wracają. Słyszałam o jednym, co aż na Dworzec Łódź Kaliska trafił. Już miał do pociągu wsiąść, ale mu opaska z żółtą gwiazdą wypadła z kieszeni. Ktoś zobaczył, wszczął alarm i już po człowieku. Ten twój znajomy z małą wnuczką po drugiej stronie drutów... – urwała nagle babcia.

Zrobiło się bardzo cicho. Nawet stopy mamy znieruchomiały na chwilę. I Basia pod stołem zamarła, bo przypomniała sobie, że gawron Wawelski przenosił jakieś listy w jedną i drugą stronę, zanim jeszcze został postrzelony. I mama była wtedy bardzo przejęta. Dziewczynka czuła, że ma to coś wspólnego z nagłym zniknięciem Jutki.

– Mam nadzieję, że ty się do tego nie mieszasz znowu? – spytała babcia swoim groźnym głosem.

– Ależ skąd! Co też mama! – odpowiedziała szybko mama, a jej palce u stóp zacisnęły się tak mocno, że prawie zniknęły pod paskami sandałów.

– Bo wiesz, co Niemcy robią z tymi, co im pomagają?

– Wiem! Nie musi mi mama ciągle tego przypominać – zdenerwowała się wreszcie mama.

– Jakie szczęście, że nie muszę tu mieszkać – westchnęła z ulgą babcia. – I patrzeć, co ci Niemcy wyprawiają za płotem.

Kilka dni później, chociaż szpera się zakończyła, Dawid Cwancygier powiedział ciotce Esterze i Jutce, że muszą uciekać z getta. Wszystko załatwił. Przekupił kogo trzeba i wyjadą z getta, i w ogóle z Łodzi, daleko, daleko do innego miasta. Pozwolił pożegnać się Jutce z Joskiem i gawronem. Obiecał się nimi zaopiekować. Przyrzekł też nie umrzeć z głodu i nie dać się zabić Niemcom.

– Jak byście z dziadkiem uciekali, a Wawelski nie mógłby jeszcze latać, pogadaj z Basią. Ona go weźmie. Na pewno. Uważaj na siebie i dziadka! – Smutna Jutka ściskała Joska na pożegnanie.

Zostały przeszmuglowane za granicę getta. Miały fałszywe dokumenty. Jechały tramwajem aryjską ulicą. Nie było wolnych miejsc, żeby usiąść i nie rzucać się w oczy, więc stały nienaturalnie sztywno wyprostowane z wysuniętymi wręcz arogancko brodami, jak przykazał dziadek.

– Żebyście broń Boże nie spuszczały głowy! W oczy patrzeć każdemu, kto zagadnie! – Jutce huczały w głowie słowa dziadka.

Jeśli popełnią błąd, będzie ich to kosztowało życie. Wywiozą je obie koło Koła nad Nerem, do miejsca, z którego się nie wraca.

Wtedy pierwszy raz w życiu dziadek, Dawid Cwancygier, przestraszył wnuczkę. Bardzo przestraszył, ale dzięki temu wszystko zapamiętała i nawet szczypała Esterę w nogę, kiedy ta zaczynała dygotać i kulić ramiona ze strachu.

Obie – ciotka i bratanica – wyglądały bardzo wytwornie. Specjalnie na tę okazję Jutka ubrana była w płaszczyk w kolorze bananowym i w białe rajstopy. I buty czarne, sznurowane. Estera miała elegancką garsonkę. I torebkę z tłoczonej skóry ze złotym zamkiem. Wszystko dostarczył przemytnik Zawidzki przez granicę getta za całe oszczędności dziadka schowane na czarną godzinę.

Tkwiły w zatłoczonym słonecznym wagonie, a czuły się jak na widelcu, aż ciarki przechodziły po plecach. Pasażerowie nie mieli przy sobie żadnych garnków na zupę, co wydało się Jutce bardzo dziwne. Starszy człowiek, przy którego miejscu stały, od dłuższego czasu przyglądał im się badawczo. W końcu zaczął, niby życzliwym głosem, o ciemnych oczach Jutki i swoich wnukach, i znowu o jej oczach, że jak węgielki takie czarne. Współczuła mu bardzo, kontemplując jego głębokie zmarszczki na twarzy, obwisłe powieki i cienie pod wyblakłymi oczami. Strasznie żałowała starszych mężczyzn, że tacy starzy i że pewnie niedługo umrą. Staruszki wydawały jej się jakoś mniej godne żalu, mniej cierpiące z powodu swego wieku.

A tego tu miała na wysokości swojej twarzy, bardzo blisko, i widziała wszystko wyraźnie, dużo wyraźniej niż zazwyczaj, kiedy zadziera się do dorosłych głowę.

Ale ten jakby się w ogóle nie przejmował swoją starością. Gadał jak najęty. Nawet dziadek nie był taki stary. W porównaniu z nim, ten tu musiał mieć przynajmniej z tysiąc lat, a i to lekko licząc, jak Matuzalem. A on znowu o jej oczach... że takie czarne.

Coś się porobiło z dłońmi ciotki Estery, zacisnęły się na ramionach Jutki mocno, bardzo mocno. Potem ręka ciotki poleciała, jakby spłoszona, do drążka przy oknie i tam zatrzepotała nerwowo jak ptak.

A on mówił i mówił, i ciotce bardzo się to nie podobało. Jutka nawet bez jej usilnych sygnałów wiedziała, że to nie jest zwyczajna rozmowa, więc kiedy po raz kolejny ciotka złapała ją za łokieć, wiedziała już, że ma się odzywać wyłącznie po niemiecku. Dziadek przykazał, żeby zapomniała polskiego. Dopiero później będzie sobie mogła przypomnieć. I rzeczywiście, teraz, w jednej chwili, Jutka przestała rozumieć język polski.

– Jak masz na imię? – spytał nagle stary człowiek.

Wytrzeszczyła na niego swoje wielkie czarne oczy.

– Jak masz na imię, dziewczynko? – powtórzył.

– *Ich verstehen nicht.*[*]

– Coś takiego – zdumiał się. – A patrzy tak, jakby wszystko rozumiała – dziwował się, biorąc za świadka kobietę, co siedziała po drugiej stronie wagonu. Ta zerknęła szybko, nie całkiem otwarcie, a jakby tak bokiem jedynie, i wzruszyła ramionami.

---

[*] Nie rozumiem.

Biedny stary człowiek kręcił głową z niedowierzaniem. Estera przełknęła głośno ślinę i postanowiła w ogóle się nie odzywać. Uśmiechnęła się tylko szeroko i trochę, jak się Jutce wydawało, głupawo.

– Nie rozumieją – powtórzył do kobiety po drugiej stronie. – Nic a nic. Tylko niemiecki. Tylko skąd tu Niemki? – zastanowił się stary człowiek.

– A co to pana obchodzi? – prychnęła kobieta. – Może to te... Włoszki albo Hiszpanki w odwiedziny przyjechały.

– No tak, tak... – ucichł mężczyzna.

Wysiadł na najbliższym przystanku, a one odetchnęły z ulgą. Dojechały aż na krańcówkę i spokojnie opuściły tramwaj. Jutka rozejrzała się wokoło. Wszędzie było tyle drzew, że te największe trochę ją przeraziły szumem liści, bo to był wietrzny wrześniowy dzień. Chodnikiem biegł czarny pies i merdał ogonem. Jutka wiedziała, że to coś znaczy, ale nie wiedziała, czy to dobrze, czy źle. Stanęła zaskoczona, aż Estera pociągnęła ją niecierpliwie za sobą. Gdzieś daleko piał kogut. TU było zupełnie inaczej niż TAM. Zniknęły za rogiem ulicy.

DR

1 września 1939 roku wybuchła druga wojna światowa. W lutym 1940 roku stworzono w Łodzi odrębną dzielnicę tylko dla Żydów, ponieważ Niemcy chcieli oddzielić ich od reszty społeczeństwa.

Getto łódzkie powstało na terenie najbiedniejszych dzielnic – Bałut i Starego Miasta. Przywożono tu tysiące Żydów z całej Europy. Na niewielkim obszarze stłoczono 160 000 osób. Ludzie umierali z chorób i głodu. Nie mogli opuszczać terenu ogrodzonego i pilnowanego dniem i nocą przez strażników z psami. Ciężko pracowali w licznych fabrykach za głodowe stawki.

Najtragiczniejszym wydarzeniem w historii getta była „wielka szpera". Chaim Rumkowski – przewodniczący Żydowskiej Rady Starszych zaapelował do mieszkańców, żeby oddali dzieci i starców. Zrobił to w imieniu Niemców, którzy chcieli się pozbyć osób niezdolnych do pracy. Myślał, że uda mu się uratować więcej ludzi, jeśli sam wybierze ofiary.

4 września 1940 roku rozpoczęła się szpera. Wybierano starych, chorych i dzieci poniżej dziesiątego roku życia. Ludzie próbowali się ukrywać w różnych skrytkach, ale udało się przetrwać tylko nielicznym. Próby ucieczki groziły rozstrzelaniem. Do obozu w Chełmnie nad Nerem wywieziono wtedy 15 000 osób w tym 5862 dzieci. Wszyscy zginęli.